the music glee

season two

volume

Published by
Wise Publications
14-15 Berners Street, London W1T 3LJ, UK.

Exclusive distributors:
Music Sales Limited
Distribution Centre,
Newmarket Road, Bury St Edmunds, Suffolk, IP33 3YB, UK.
Music Sales Pty Limited
20 Resolution Drive, Caringbah, NSW 2229, Australia.

Order No. AM1003552
ISBN 978-1-78038-167-1

Edited by Jenni Wheeler.

Printed in the EU.

www.musicsales.com

the music glee

season two

volume 5

Wise Publications
part of The Music Sales Group
London / New York / Paris / Sydney / Copenhagen /
Berlin / Madrid / Hong Kong / Tokyo

Thriller / Heads Will Roll

'Thriller' Words & Music by Rod Temperton
'Heads Will Roll' Words & Music by Nicholas Zinner, Brian Chase & Karen Orzolek

Need You Now

Words & Music by Josh Kear, Hillary Scott,
David Haywood & Charles Kelley

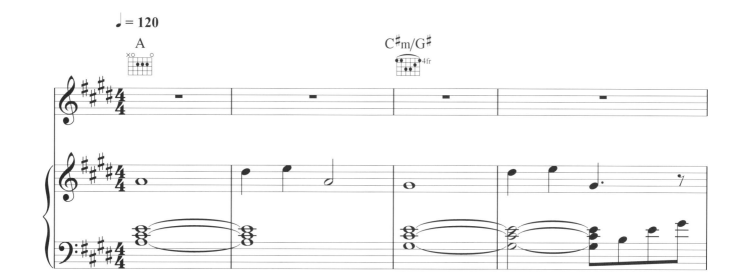

1. Pic - ture per-fect mem -'ries scat-tered all a-round the floor.___

(2.) - oth - er shot of whisk - ey, can't stop look-ing at the door.___ Wish-

Said___ I would-n't call but I lost___ all con-trol and I need___ you now.___

And I don't___ know how___ I can do___ with-out,___ I___ just need___ you now.___

1.

2. An -

2.

Whoa,___

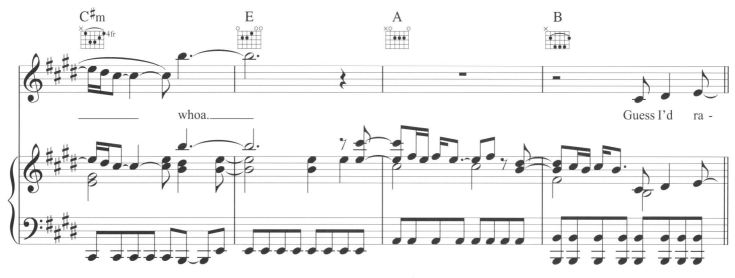

And I don't know how I can do with-out, I

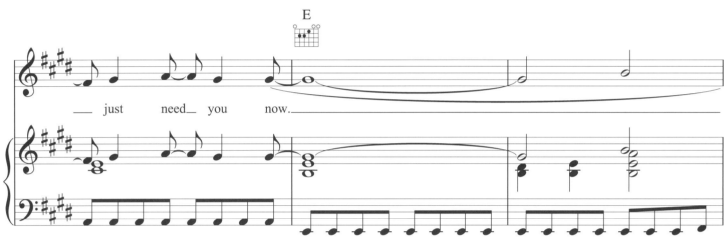

just need you now.

Oh, ba - by, I need you now.

She's Not There

Words & Music by Rod Argent

Well, no-one told me a-bout her, the way she lied.
Well, no-one told me a-bout her, what could I do?

Well, no-one told me a-bout her,
Well, no-one told me a-bout her,

how man - y peo - ple cried.____
though they all knew. But it's too

late to say you're_ sor - ry. How would I know?_ Why should I care?_

Please don't both - er try'n' to find___ her, she's not there.___

Well, let me tell you 'bout the

way she looked, the way she acts and the col-our of ___ her hair. Her voice was

soft and cool, her eyes were clear and bright, but she's not there.

To Coda ⊕

1.

2.

solo ad lib

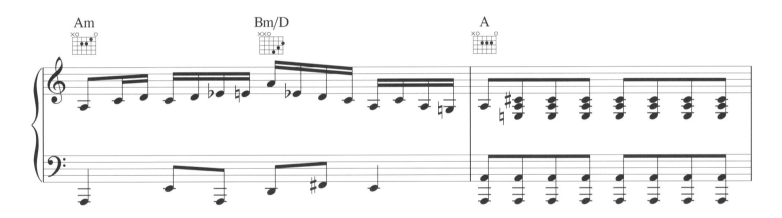

D.S. al Coda   ⊕ *Coda*

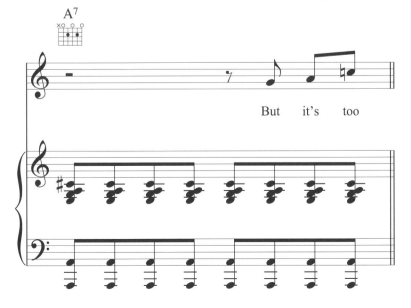

But   it's   too

Fat Bottomed Girls

Words & Music by Brian May

1. I was just a skin-ny lad nev-er knew___
(2.) sing-ing with my band a-cross the wa-
(3.) mort-ga-ges and homes, I got stiff-

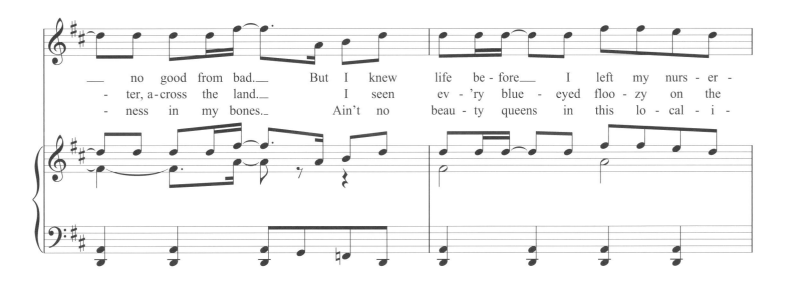

___ no good from bad.___ But I knew life be-fore___ I left my nurs-er-
-ter, a-cross the land.___ I seen ev-'ry blue - eyed floo-zy on the
-ness in my bones.___ Ain't no beau-ty queens in this lo-cal - i-

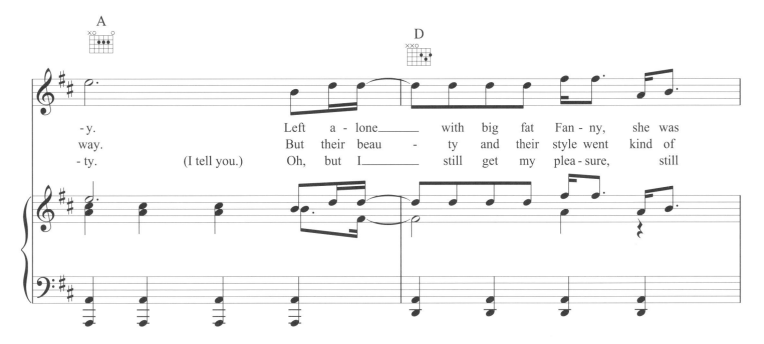

-y.   Left a-lone___ with big fat Fan-ny, she was
way.   But their beau - ty and their style went kind of
-ty.   (I tell you.)   Oh, but I___ still get my plea-sure,   still

such a naugh-ty nan-ny. Heap big wom-an, you made a bad boy out of me.
smooth af-ter a while. Take me to them lard-y la-dies ev-'ry-time.
got my great-est trea-sure. Heap big wom-an, you done made a big man of me.

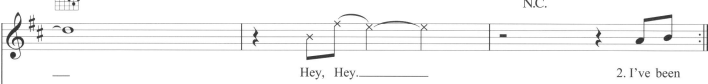

1.

Hey, Hey._____ 2. I've been

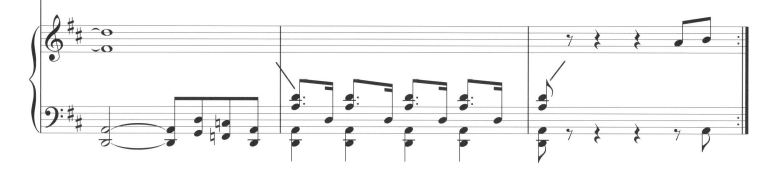

2, 3.

— Come on. Oh, won't you
— Now get this. Oh, you gon-na

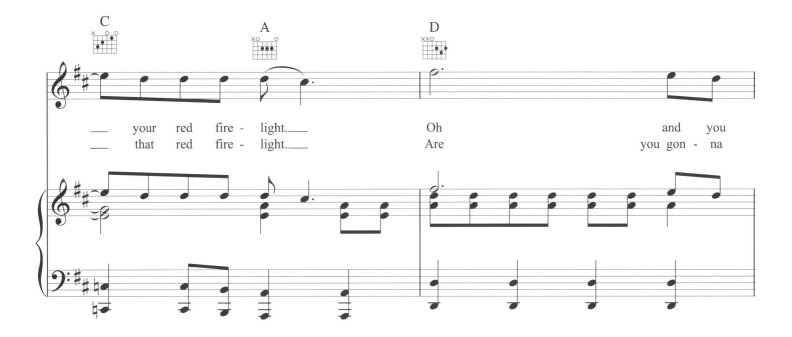

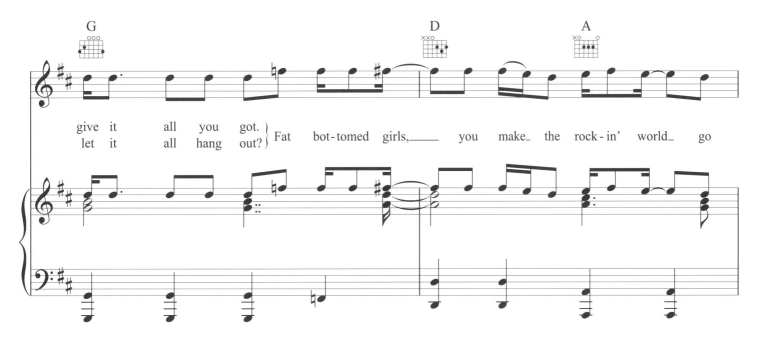

Firework

*Words & Music by Katy Perry, Mikkel S. Eriksen, Tor Erik Hermansen,
Sandy Wilhelm & Ester Dean*

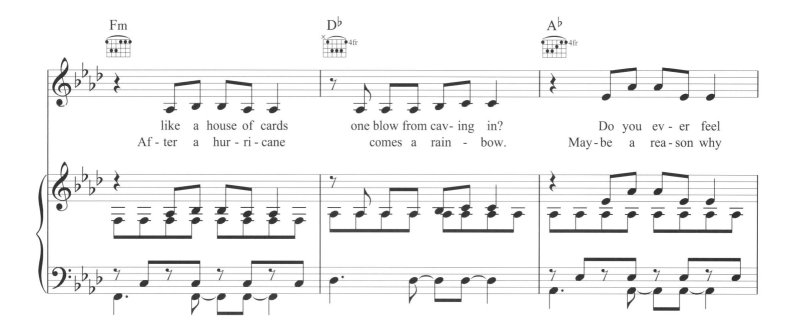

like a house of cards
Af - ter a hur - ri - cane

one blow from cav- ing in?
comes a rain - bow.

Do you ev - er feel
May- be a rea - son why

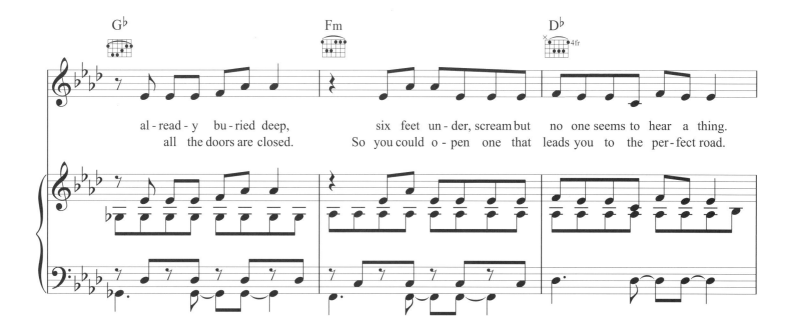

al - read - y bu - ried deep,
all the doors are closed.

six feet un - der, scream but
So you could o - pen one that

no one seems to hear a thing.
leads you to the per - fect road.

Do you know that there's
Like a light-ning bolt,

still a chance for you
your heart will glow.

'cause there's a spark in you?
And when it's time, you'll know.

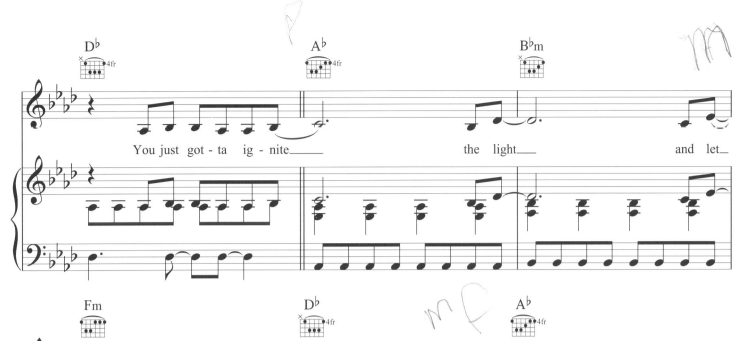

You just got-ta ig-nite_____ the light_____ and let__

_____ it shine._____ Just own_____ the night__

____ like the Fourth of__ Ju - ly._____ 'Cause ba-by, you're a

fi - re-work._____ Come on, show 'em what you're worth..

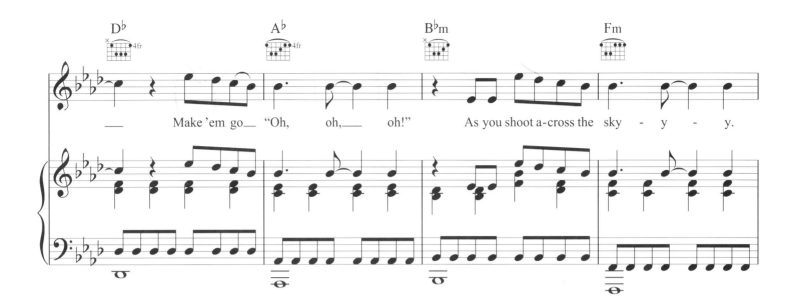

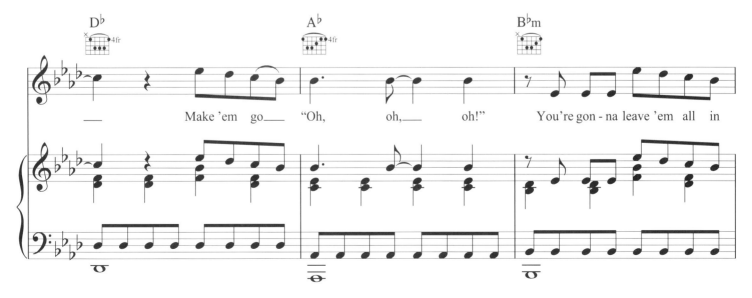

awe, awe,__ awe.__ __

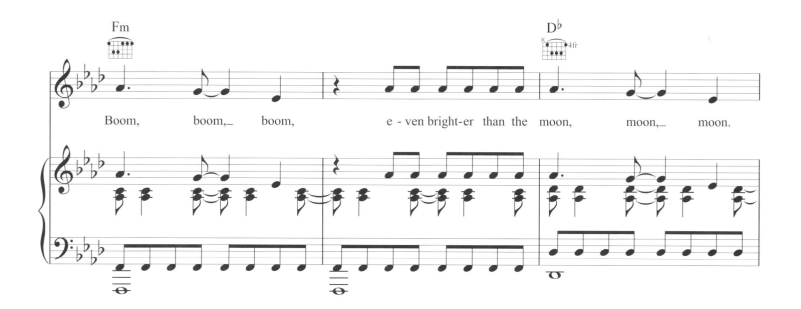

Boom, boom,__ boom, e - ven bright-er than the moon, moon,__ moon.

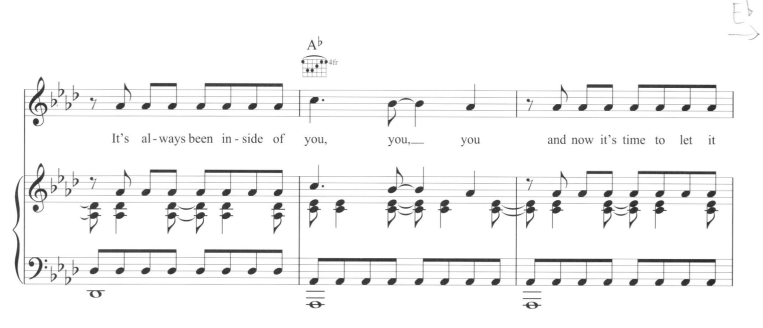

It's al-ways been in - side of you, you,__ you and now it's time to let it

through._____ 'Cause ba - by, you're a fi - re-work._

Come on, show 'em what you're worth._ Make 'em go____

"Oh, oh,___ oh!" As you shoot a - cross the sky - y - y.

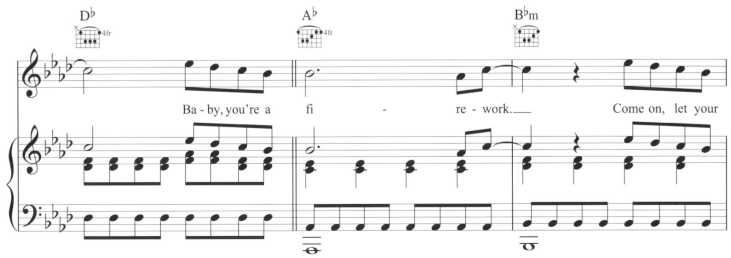

Ba - by, you're a fi - re-work._ Come on, let your

P.Y.T. (Pretty Young Thing)

Words & Music by Quincy Jones & James Ingram

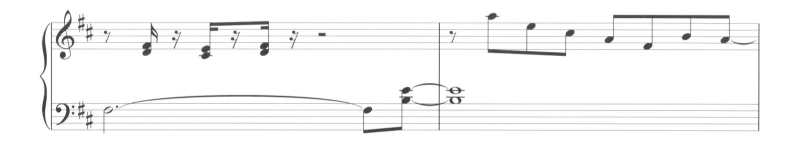

1. Where did you come____from la - dy, and ooh, won't you take me there?
2. Noth - ing can stop____this burn - ing de - si - re to be with you.

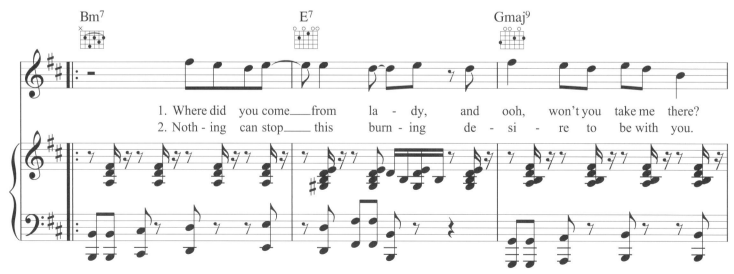

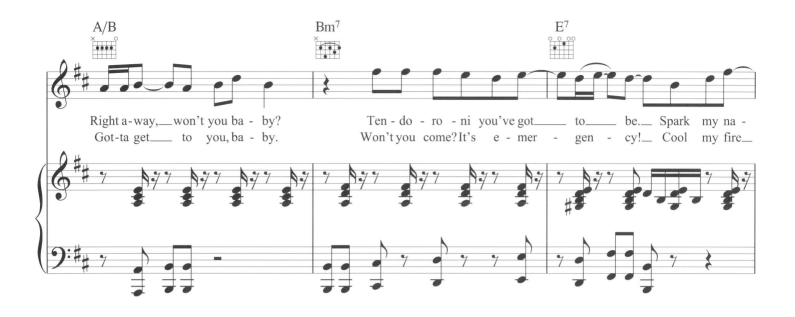

Right a-way,___ won't you ba - by?   Ten - do - ro - ni you've got___ to___ be. Spark my na -
Got-ta get___ to you, ba - by.   Won't you come? It's e - mer - gen - cy! Cool my fire

- ture, su - gar,   fly___ with me.___   Don't you   know now___
___ yearn-ing, hon - ey, come set me free.   Don't you   know now___

is the per - fect time?___
is the per - fect time?___

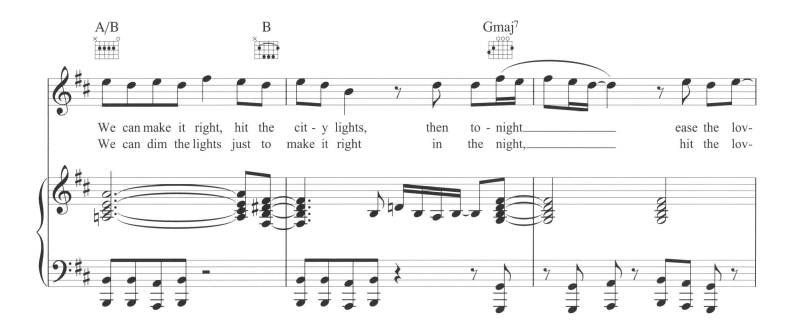

We can make it right, hit the cit-y lights, then to-night_____ ease the lov-
We can dim the lights just to make it right in the night,_____ hit the lov-

- ing pain._ Let me take you to the max._____
- ing spot._ I'll give you all that I've got._____

I want to

love you,_ (P. Y. T.) pret-ty young thing._ You need some lov-in',_ (T. L. C.) ten-der,

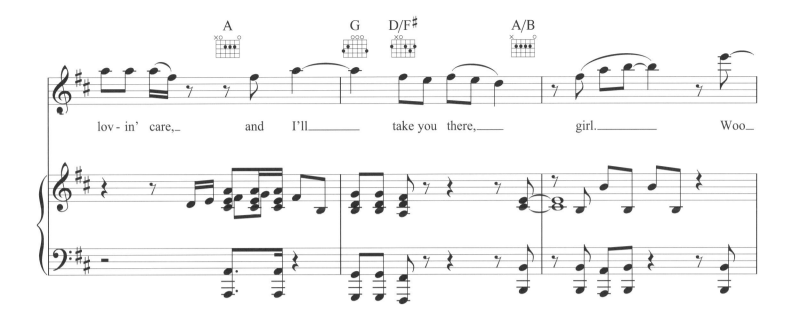

lov - in' care,_ and I'll_ take you there,_ girl._ Woo_

_ hoo..._ I want to love you,_ (P. Y. T.) pret-ty young thing._ You need some

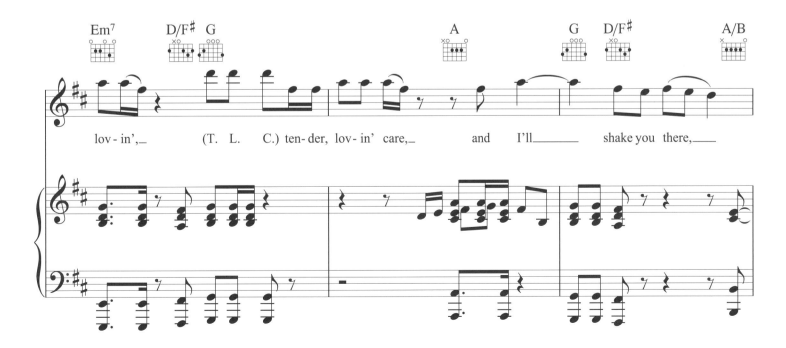

lov - in',_ (T. L. C.) ten-der, lov-in' care,_ and I'll_ shake you there,_

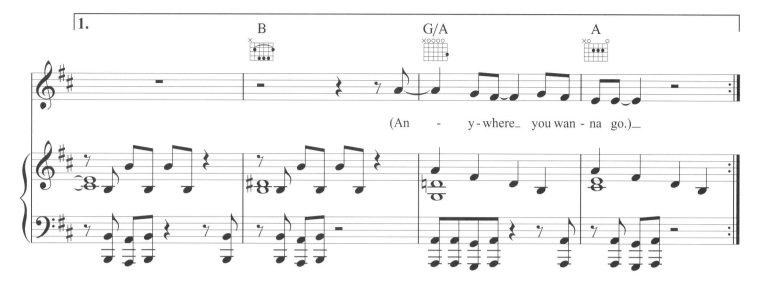

Baby

Words & Music by Christopher A. Stewart, Terius Nash,
Christopher Bridges, Justin Bieber & Christine Flores

Oh, _____ whoa... _____ Oh, _____

_____ oh, _____ whoa... _____ 1. You know you

love me, _____ I know you care. Just shout when - ev - er _____ and I'll be

-by, oh.___ I thought you'd al - ways be mine,___ oh.___ 2. For

you, I would have done what - ev - er.___ And I just can't_ be - lieve_ we ain't to -

-geth - er.___ And I wan - na play it cool, but I'm los - ing you. I'll buy you

an - y - thing, I'll buy you an - y ring.__ And I'm in piec - es,____ ba - by fix me. And just

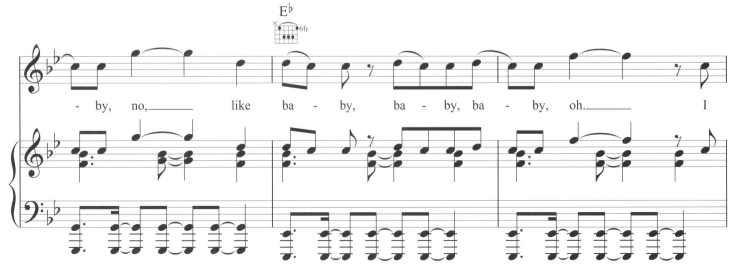

thought you'd al - ways be mine,___ mine.___ Ba - by, ba - by, ba -

- by, oh,___ like ba - by, ba - by, ba - by, no,___ like

ba - by, ba - by, ba - by, oh.___ I thought you'd al - ways be mine,___ mine.___

When I was thir - teen, I had my first love. There was no - bod - y that com - pared to my ba - by and no -

Drums

-bod - y came be - tween us who could ev - er come a - bove. She had me go - ing cra - zy,

oh, I was star - struck. She woke me up dai - ly, don't need no Star - bucks. She made my heart pound

I skip a beat when I see her in the street and at school on the play - ground.

But I real - ly wan - na see her on a week - end. She know she got me daz - in'

Somebody To Love

Words & Music by Justin Bieber, Jonathan Yip, Jeremy Reeves,
Heather Bright & Ray Romulus

an - y - thing you want. I can___ bring,___ give you the fin - er___ things,___ yeah.___

But what I real-ly want, I can't_ find___ 'cause___ mon-ey can't find me___ some-bod-y to love,___

___ oh._____ Find me some-bod-y to love,_

___ oh._____ I just need some-bod-y to love,_

54

Take Me Or Leave Me

Words & Music by Jonathan Larson

1. Ev-'ry sin-gle day,___ I walk down___ the street,
2. A ti - ger in a cage___ can nev-er see the sun,
3. work. I look be-fore I leap,___ I love mar-gins and dis-ci-pline,

ba - - by.
my, my, ba - by?"
one luck - y ba - by.

Take___ me for what I am,_____

who___ I was meant to be,_____ and, if you___

give a damn,_____ take___ me ba - by___ or leave___ me._____

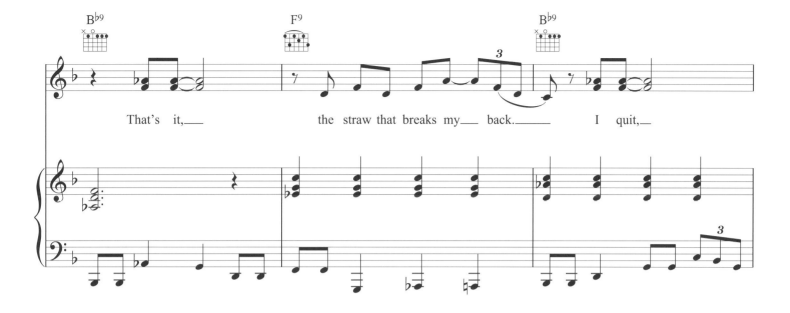

That's it,____ the straw that breaks my___ back._____ I quit,

un-less you take it back._____ Wom-en,____ what_____ is it a-bout them?_____

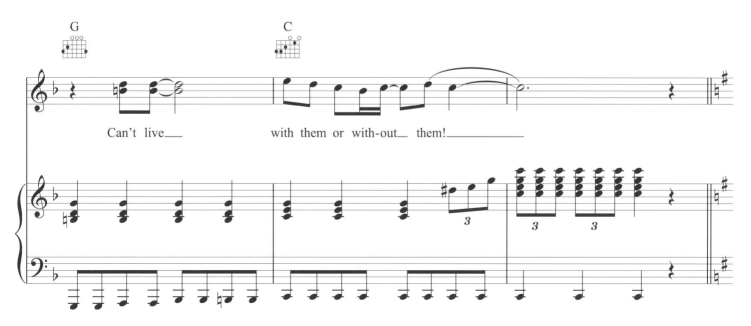

Can't live____ with them or with-out__ them!_____

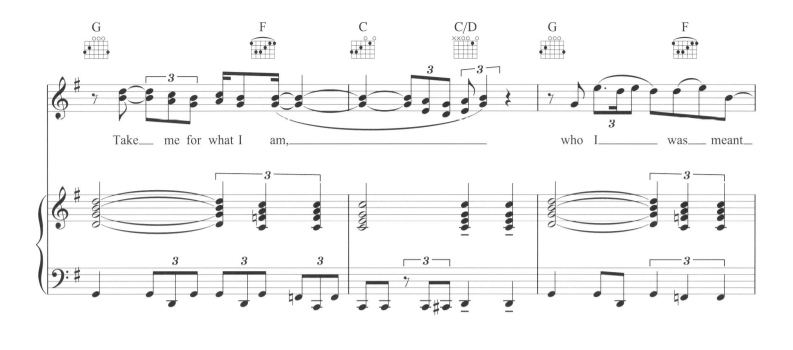

Take___ me for what I am,_____ who I _____ was___ meant___

___ to___ be._____ And   if   you___   ev - er dare____ you'd   bet - ter

take___ me   ba - by,___   take   me_____   please,_____

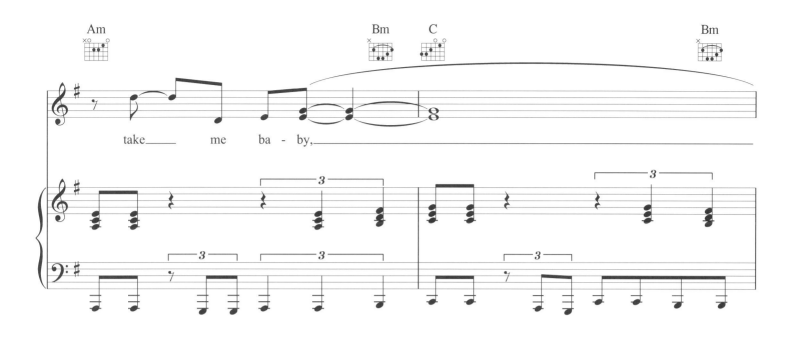

take____ me ba - by,_____

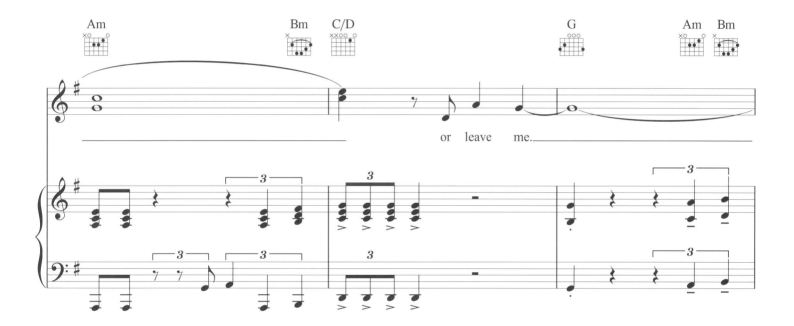

or leave me._____

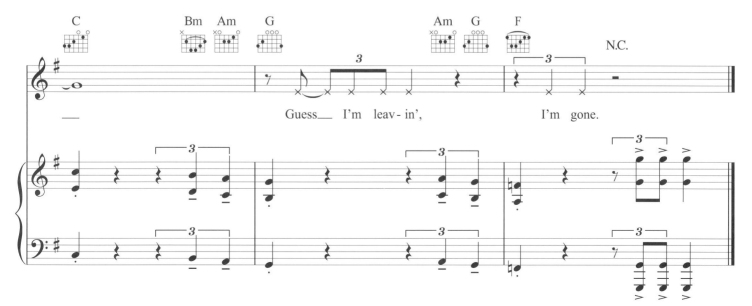

Guess___ I'm leav - in', I'm gone.

Sing

Words & Music by Gerard Way, Raymond Toro, Michael Way
& Frank Iero

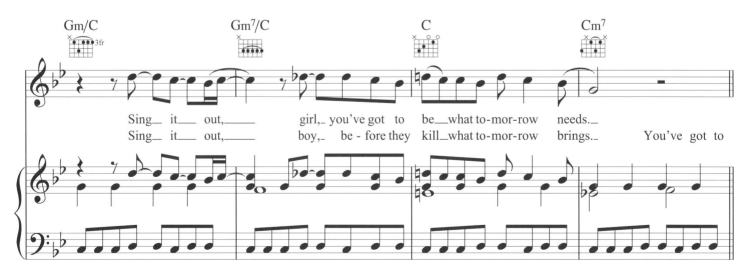

Sing_ it for the deaf, sing_ it for the blind. Sing a-bout ev'ry-one that you left be - hind.

1.

Sing_ it for the world, sing_ it for the world. Ah...

2.

N.C.

world. Oh.

Cleaned up cor-po-ra-tion pro-gress, dy-ing in the pro-cess. Child-ren that can

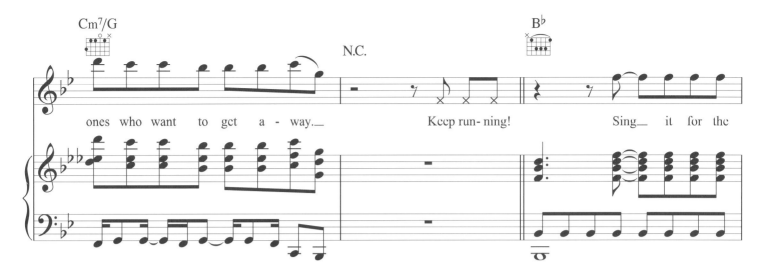

Don't You Want Me

Words & Music by Phil Oakey, Adrian Wright & Jo Callis

1.You were work-ing as a wait-ress in a
(2.) work-ing as a wait-ress in a

cock - tail bar when I met you. I
cock - tail bar that much is true. But

picked you out,__ I shook you up__ and turned you a - round,__ turned you in - to some-one new.__
e - ven then__ I knew I'd find__ a much bet - ter place,__ eith - er with or with - out you.__

Now five years la - ter on__ you've got the world at your feet.__ Suc-
The five years we have had__ have been__ such good__ times.

- cess has been so eas - y for you.__ But don't for-get,__ it's me who put you
I__ still love__ you.__ But now I think__ it's time I live my

where you are now__ and I can put you back down too.__
life on my own.__ I guess it's just what I must do.__

71

better change it back or we will both be sor - ry.

Don't you want me, ba - by?___ Don't you want me,

oh?___ Don't you want me, ba - by?___

Don't you want me, oh?___ 2. I was oh?___

1.

2.

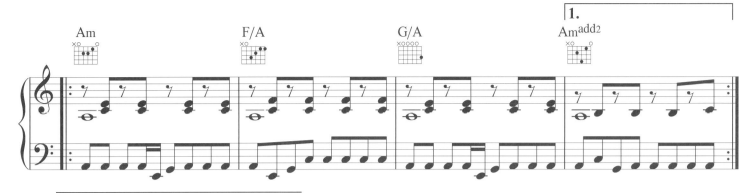

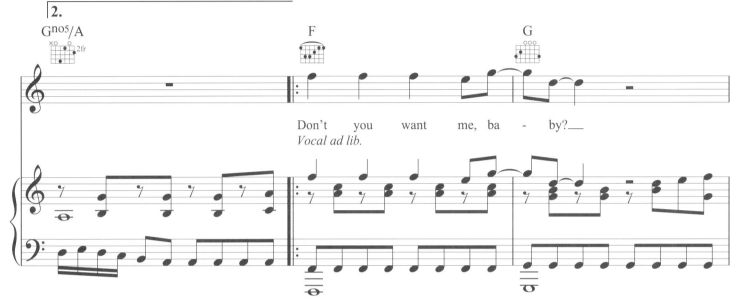

Don't you want me, ba - by?___
Vocal ad lib.

Don't you want me, oh?_____ Don't you want me, ba - by?___

Don't you want me, oh?_____ Don't you want me, ba - by?___

Kiss

Words & Music by Prince

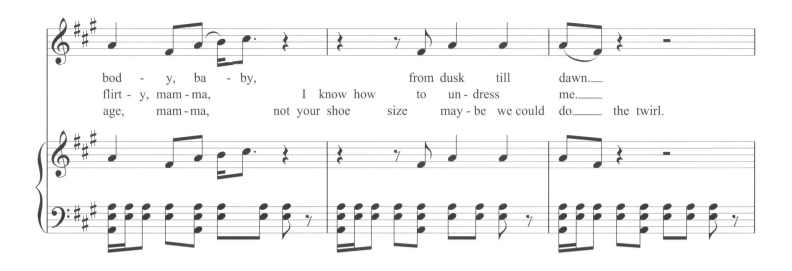

bod - y, ba - by,   from dusk till dawn.___
flirt - y, mam - ma,   I know how to un - dress me.___
age, mam - ma,   not your shoe size may - be we could do___ the twirl.

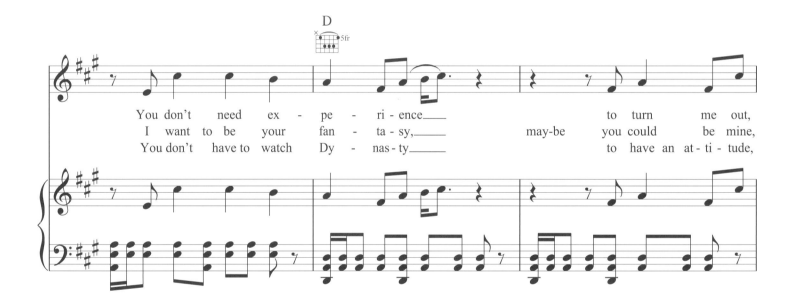

D

You don't need ex - pe - ri - ence___   to turn me out,
I want to be your fan - ta - sy,___   may - be you could be mine,
You don't have to watch Dy - nas - ty___   to have an at - ti - tude,

A

yeah,   you just___ leave it all___ up to me,___
       you just___ leave it all___ up to me,___
       you just___ leave it all___ up to me,___ my

I'm gon - na show you what it's all a-bout, yeah.
we could have a good___ time, uh.
love___ will be your food. Yeah.

You don't_ have to be___

E
rich to be my girl, you don't_ have to be cool___ to rule my world,

D

E
ain't no par - ti - cu - lar sign___ I'm more com-pa - ti - ble with,

I just want your_

To Coda ⊕ |**1.**

D
ex - tra time_ and your

D⁶⁹/A
kiss.___

|**2.**

D⁶⁹/A
kiss.___

Yes,

oh._____

N.C.

I_____ think I wan - na dance.__

Lit - tle girl Wen - dy's pa - rade._

Guitar solo continues

Got - ta, got - ta, got - ta.

N.C.

D.S. al Coda

3. Wom - en, not___

⊕ *Coda*

D⁶⁄₉/A   Am⁷ Am⁶   Am⁷ Am⁶

Repeat to fade

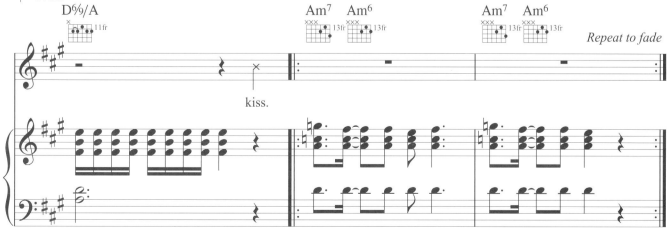

kiss.

79

Landslide

Words & Music by Stevie Nicks

1. I took my love and I took it down.
2. Take this love and take it down. Yeah,

I climbed a moun-tain and I___ turned a-round___   and I
if you climb a mount-tain and___ you___ turn___ a-round   and if you

saw   my re-flec - tion   in the   snow - co-vered hills,___   where the
see   my re-flec - tion   in the   snow - co-vered hills,___

To Coda

land - slide brought me down.___   Oh,

mir - ror in___ the sky,___   what is   love?   Can the

81

been a-fraid_ of chang-ing,_ 'cause I've built_ my_ life_ a-round

Afternoon Delight

Words & Music by Bill Danoff

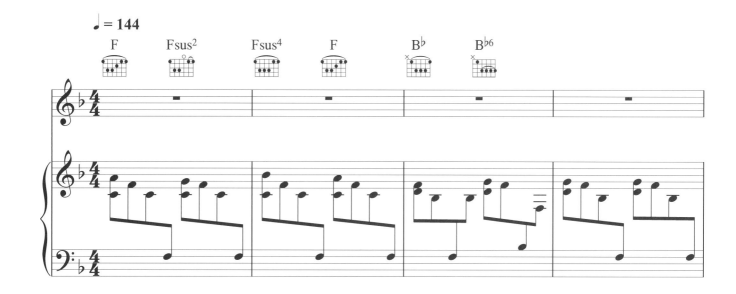

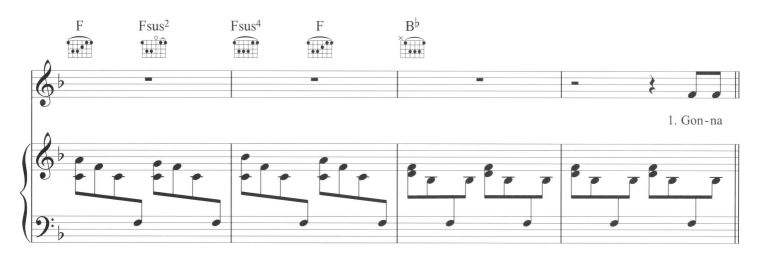

1. Gon-na

find my ba-by, gon-na hold her tight, gon-na grab some af - ter-noon___ de - light.___ My

Instrumental till *

Get It Right

Words & Music by Adam Anders, Nikki Hassman
& Par Astrom

1. What have I done?___ I wish I could run___

___ a-way from this ship___ go-ing un - der.___ Just try-ing to help,___ hurt ev'ry - one else.___

___ Now I feel the weight___ of the world___ is___ on my shoul - ders.___

right,_____ to get it_____ right?_____

2. Can I start a-gain____ with my faith sha-ken?____ 'Cause I can't go back_

____ and un-do____ this.____ I just have to stay____ and face my mis-takes.__

____ But if I get stron - ger and wi - ser____ I'll get through____ this.__

Loser Like Me

Words & Music by Adam Anders, Savan Kotecha & Par Astrom

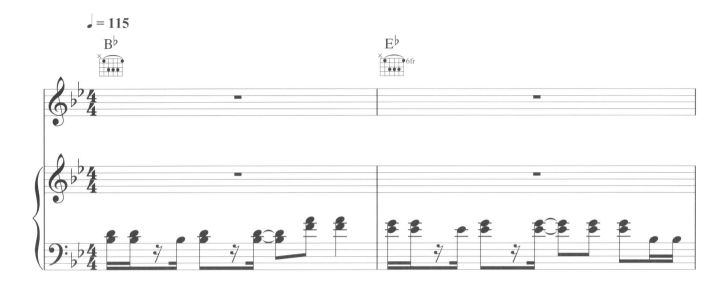

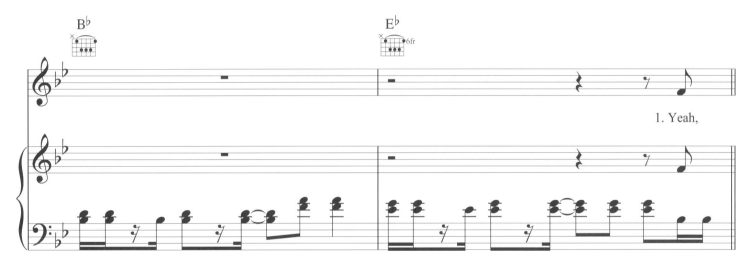

1. Yeah,

(1.) you may think that I'm a ze-ro. But,
2. Push me up a-gainst a lock-er and

hey, ev-'ry-one you wan - na be prob-'ly start - ed off like me. Yeah,
hey, all I do is shake it off. I'll get you back when I'm your boss.

you may say that I'm___ a freak - show.___ (I don't care.) But,
I'm not think - ing 'bout___ you ha - ters.___ 'Cause

hey, give it just a lit - tle time. I bet you're gon - na change your mind.
hey, I could be a su - per - star. I'll see you when you wash my car.

All of___ the___ dirt___ you've been throw - ing my way,___

it ain't so hard to take,___ that's right. 'Cause I know___ one___ day___

___ you'll be scream - ing my name___ and I'll just look a - way,___ that's right. Just

go a - head___ and hate on me and run your mouth___ so ev - 'ry - one can hear.

Hit me with___ the worst you got and knock me down.___ Ba - by, I don't care.

Keep it up___ and soon e-nough you'll fig-ure out.___ You wan - na be,___ you wan - na be,___

___ a lo - ser___ like me,___ a lo - ser___ like me.

1.

2.

N.C.

a lo - ser___ like me,___ a lo - ser___ like me.___

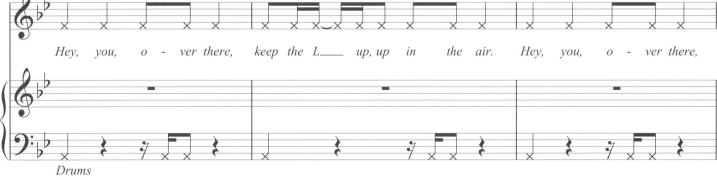

Hey, you, o - ver there, keep the L___ up, up in the air. Hey, you, o - ver there,

Drums

123456789